Limerick City and County Library
3 0027 00726842 5

KU-081-325

WITHDRAWN FROM STOCK

KSIĘGA
czarownic

ZBIGNIEW DMITROCA

Opracowanie graficzne książki
Ewa Łukasik, Cecylia Staniszewska

Pomysł i ilustracje
Jolanta Marcolla

Redaktor prowadzący
Katarzyna Krawczyk

Redakcja techniczna
Lidia Lamparska

Korekta
Elżbieta Jaroszuk

Świat Książki
Warszawa 2007
Bertelsmann Media, sp. z o.o.
ul. Rosoła 10, 02-786 Warszawa

Skład i łamanie
Studio Poligraficzne DIAMOND

Druk i oprawa
DNT – oddział PAP SA, Warszawa

ISBN 978-83-247-0609-9
Nr 5900

Lista obecności

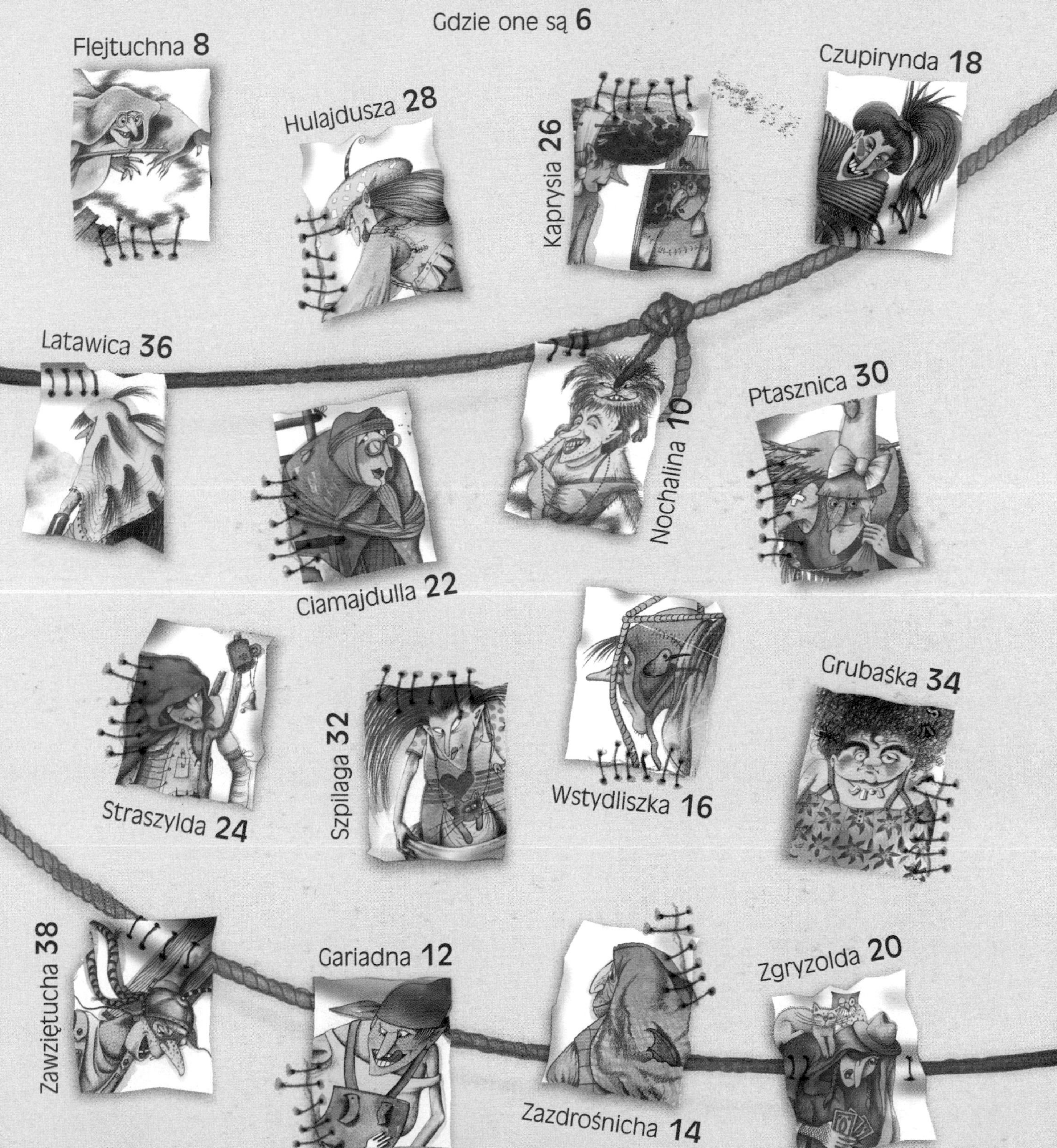

Gdzie one są?

One są naprawdę wszędzie:
W sklepie, w kinie i urzędzie,
W banku, w barze i fabryce...
A kto taki? Czarownice!

Na bazarze, na spacerze,
Na koncercie, na rowerze...
W telewizji i w gazecie
Także na nie się natkniecie.

U fryzjera, u lekarza,
U dentysty, u piekarza...
W pralni, w maglu, w bibliotece,
W dyskotece i w aptece...

Wiedźmy grube, wiedźmy chude,
Czarnowłose albo rude.
Są blondynki i szatynki,
Herod-baby i kruszynki.

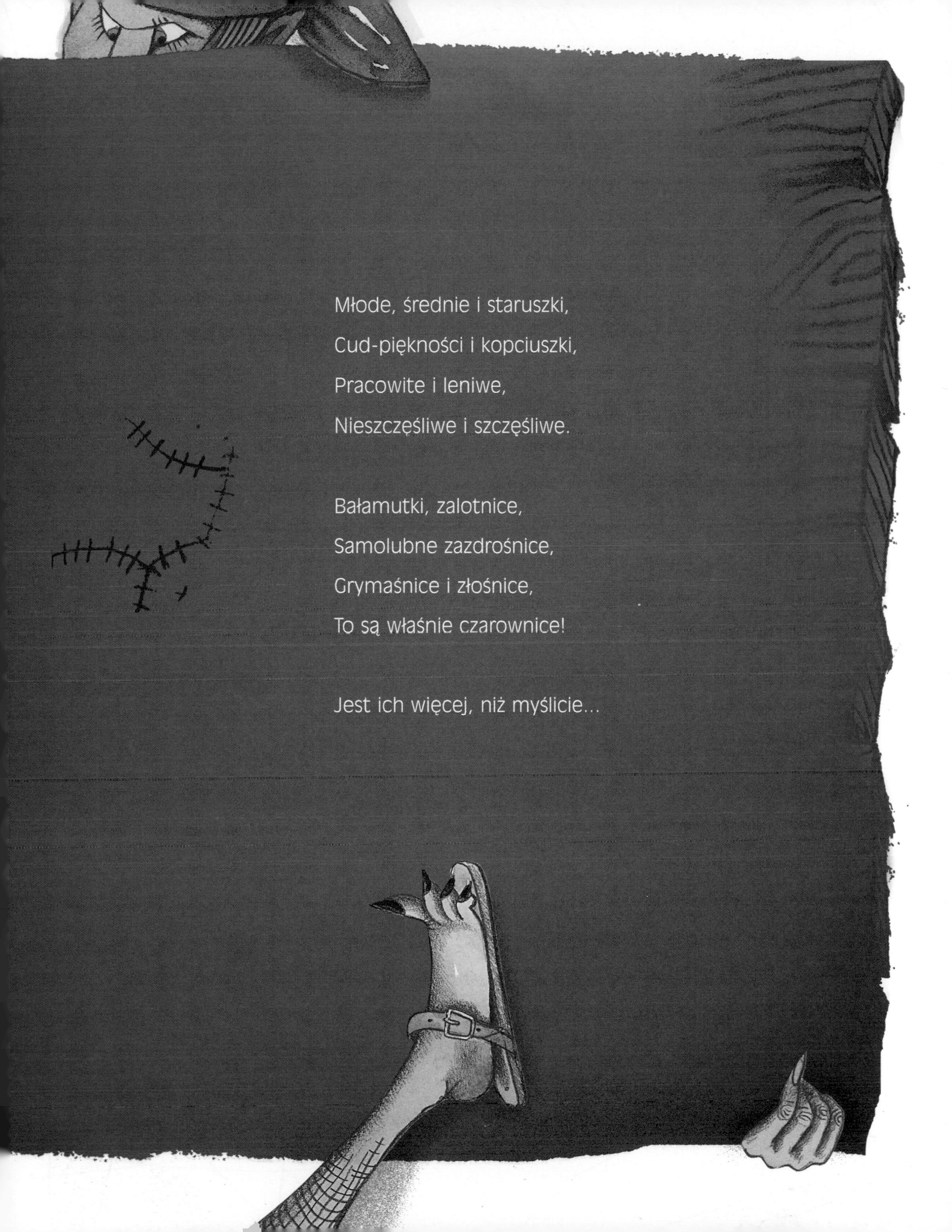

Młode, średnie i staruszki,
Cud-piękności i kopciuszki,
Pracowite i leniwe,
Nieszczęśliwe i szczęśliwe.

Bałamutki, zalotnice,
Samolubne zazdrośnice,
Grymaśnice i złośnice,
To są właśnie czarownice!

Jest ich więcej, niż myślicie...

Flejtuchna

Mój dom stoi na uboczu,
Z dala od sąsiedzkich oczu.
Mieszkam sama, żyję skromnie,
Rzadko kto zagląda do mnie.

Koło domku mam ogródek,
Pełen ziół i niezabudek,
Ale we wsi krążą słuchy,
Że hoduję w nim ropuchy...

Żadnych ropuch nie hoduję,
Zupy z pokrzyw nie gotuję,
Muchomorów nie pitraszę,
Bo stanowczo wolę kaszę.

Prawdę mówiąc – gotowanie
Nie jest moim powołaniem,
Zresztą, jak tu lubić kuchnię,
Kiedy w niej tak strasznie cuchnie?

Prać i sprzątać też nie lubię,
W bałaganie wciąż coś gubię,
Sama sobie mydła skąpię,
Nie za często więc się kąpię.

Z tego względu w okolicy
Mam opinię czarownicy,
A niektórzy nawet plotą,
Że na miotle mknę z ochotą.

Nochalina

Na urodzie mi nie zbywa,
Lecz nie jestem nieszczęśliwa,
Bo gdy patrzę do lusterka,
Jestem piękna jak fryzjerka!

Dużo jem, a nic nie tyję,
Gdyż specjalne zioła piję,
A sąsiadkom wciąż się chwalę,
Że o linię nie dbam wcale.

Jak te wiedźmy mi zazdroszczą,
Że ja jem, a one poszczą!
Mówią: – Taka łakomczucha,
A w ogóle nie ma brzucha!

Potem plotą różne bzdury,
Że diabelskie mam mikstury,
Że uprawiam w domu czary,
Bo to przecież nie do wiary!

Mnie w to graj! Uwielbiam plotki!
(Tak jak torty i szarlotki!).
Zawsze cieszę się ogromnie,
Kiedy inni mówią o mnie…

Z tego względu w okolicy
Mam opinię czarownicy,
A niektórzy nawet plotą,
Że na miotle mknę z ochotą.

Gariadna

Hokus-pokus, czary-mary...
Dookoła brudne gary,
Brudnych naczyń rosną stosy,
Aż mi dęba stają włosy.

Hokus-pokus... Jak to było?
Znów coś mi się pomyliło.
Czary-mary, gruba dynia,
Niech pomyją się naczynia!

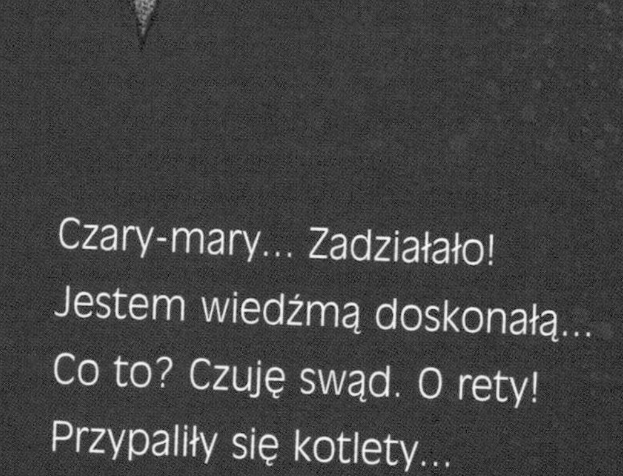

Czary-mary... Zadziałało!
Jestem wiedźmą doskonałą...
Co to? Czuję swąd. O rety!
Przypaliły się kotlety...

A tu? Co to za wygłupy?
W garnku nie ma kropli zupy!
Teraz się przebrała miarka,
Zupa wrócić ma do garnka!

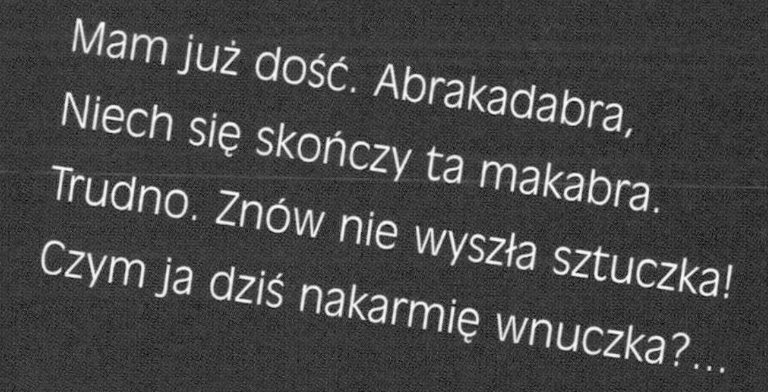

Mam już dość. Abrakadabra,
Niech się skończy ta makabra.
Trudno. Znów nie wyszła sztuczka!
Czym ja dziś nakarmię wnuczka?...

Z tego względu w okolicy
Mam opinię czarownicy,
A niektórzy nawet plotą,
Że na miotle mknę z ochotą.

Zazdrośnicha

Babcie chwalą się wnuczkami
I domkami z ogródkami,
Mają swoje psy i koty,
A ja tylko mam zgryzoty.

Jestem stara biedna jędza,
Zazdrość sen mi z oczu spędza
I na starość całkowicie
Wypełniła moje życie.

Denerwują mnie sąsiadki,
Ich obiadki i herbatki,
Ich ploteczki i przechwałki,
I ich wnusie przemądrzałki.

Ciągle błąkam się samotna,
Nieprzystępna i markotna,
A w ogóle to mnie dziwi,
Kiedy ludzie są szczęśliwi.

Gdy zaś innym się nie wiedzie,
Kiedy ktoś się znajdzie w biedzie,
Wtedy aż zacieram ręce
I uśmiecham się w podzięce...

Z tego względu w okolicy
Mam opinię czarownicy,
A niektórzy nawet plotą,
Że na miotle mknę z ochotą.

Wstydliszka

Ładnym jest na świecie lepiej,
Nikt po garbie ich nie klepie,
Nikt się w oczy im nie śmieje,
Ładnym krzywda się nie dzieje.

Wszystko wokół nich się kręci,
Są szczęśliwi, uśmiechnięci,
A maszkary i pokraki
To okropne ponuraki!

Ładni nigdy się nie wstydzą,
Kiedy w lustrze siebie widzą,
Ja do lustra nie zaglądam,
Bo wiem dobrze, jak wyglądam...

Mówię to zupełnie szczerze:
Czuję się jak w klatce zwierzę,
Śmiech w ogóle mnie nie śmieszy,
Tylko rani albo peszy...

Ładni śmieją się: – Garbuska
To dziwaczka i dzikuska,
Bo to dziwne, że nikomu
Nie pozwala wejść do domu...

Z tego względu w okolicy
Mam opinię czarownicy,
A niektórzy nawet plotą,
Że na miotle mknę z ochotą.

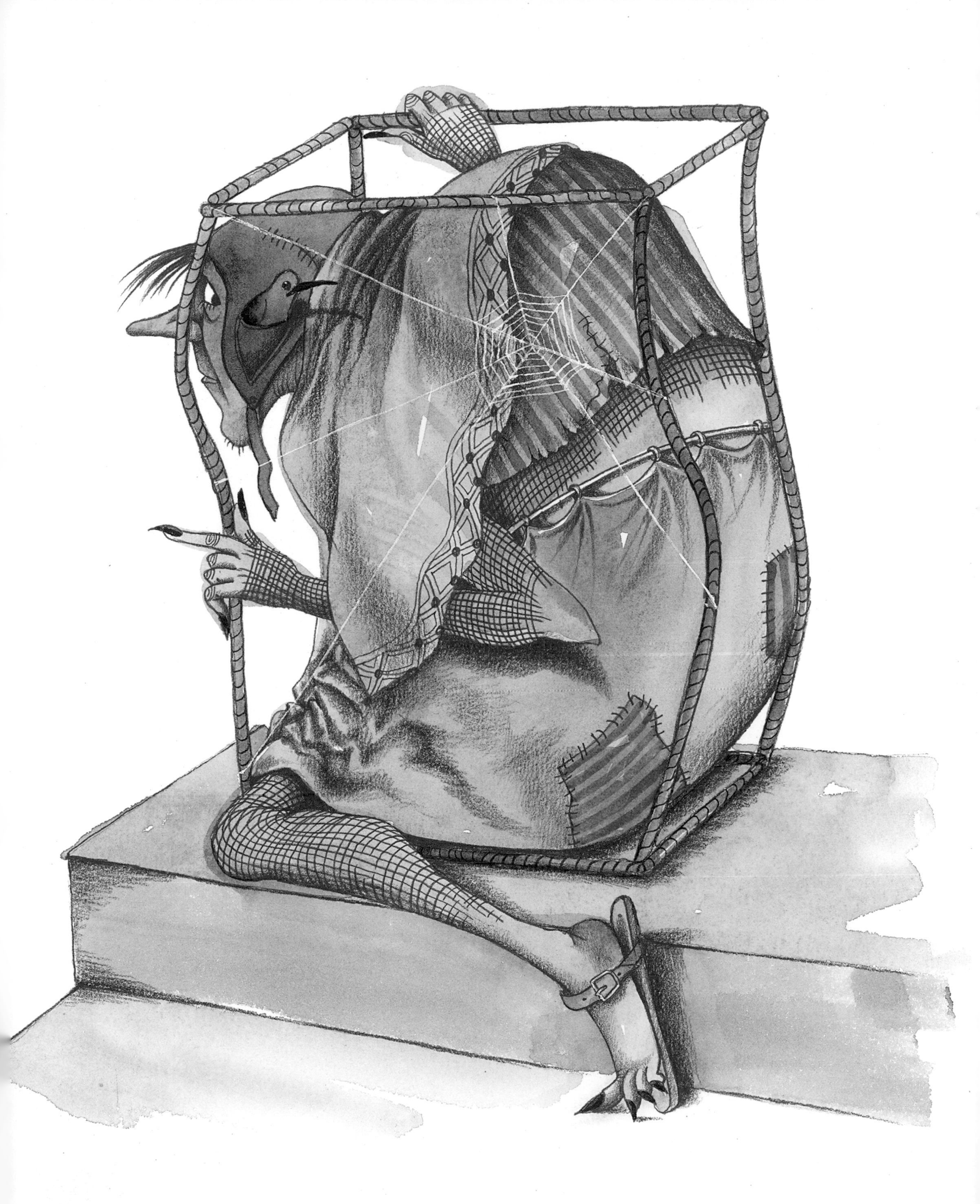

Czupirynda

Nie chcę być domową kurą,
Zaniedbaną i ponurą,
Chcę być piękna jak Miss Świata,
Elegancka i bogata!

Co dzień bywam u fryzjera,
Masażysty, jubilera,
Dbam o zdrowie i urodę,
I beztroskie życie wiodę...

Kiedy słońce w lecie praży,
Wyleguję się na plaży,
Nie rozumiem innych ludzi,
Których męczy to i nudzi.

Bardzo lubię sporty wodne,
Bo są teraz bardzo modne,
Chętnie pływam motorówką,
Wodolotem i żaglówką.

Wszystko, o czym tylko marzę,
Dobry los mi daje w darze,
Bo dla pięknych i szczęśliwych
Nie ma rzeczy niemożliwych!

Z tego względu w okolicy
Mam opinię czarownicy,
A niektórzy nawet plotą,
Że na miotle mknę z ochotą.

Ciamajdulla

A ja jestem Ciamajdulla,
Co nad wszystkim się rozczula,
Lubię żaby i ropuchy,
I nie skrzywdzę nawet muchy!

Nie rozdepczę gąsienicy
I dżdżownicy na ulicy,
Ulituję się nad mrówką,
Do stonogi szepnę słówko...

Wzruszam się nad ślimakami
I nie brzydzę chrabąszczami,
Mysz na zimę przyhołubię,
I pająki w domu lubię.

Wszystkich tym okropnie drażnię,
Więc się z nikim nie przyjaźnię
I w ogóle nie boleję,
Że się każdy ze mnie śmieje...

Droczą się: – To ta dziwaczka,
Co każdego zje robaczka,
Lubi myszy i ropuchy,
Nie oszczędzi żadnej muchy...

Z tego względu w okolicy
Mam opinię czarownicy,
A niektórzy nawet plotą,
Że na miotle mknę z ochotą.

Straszylda

Jestem stara, ale jara,
I co z tego, że maszkara?
Mnie to wcale nie przeszkadza,
Nie zamierzam się odmładzać...

Szkoda sił i czasu szkoda,
Bo uroda jest jak woda,
Na nic kremy i balsamy,
W miejscu jej nie zatrzymamy.

Oczywiście, czarownice
Znają różne tajemnice,
Zioła, maści i wywary,
A do tego wszelkie czary.

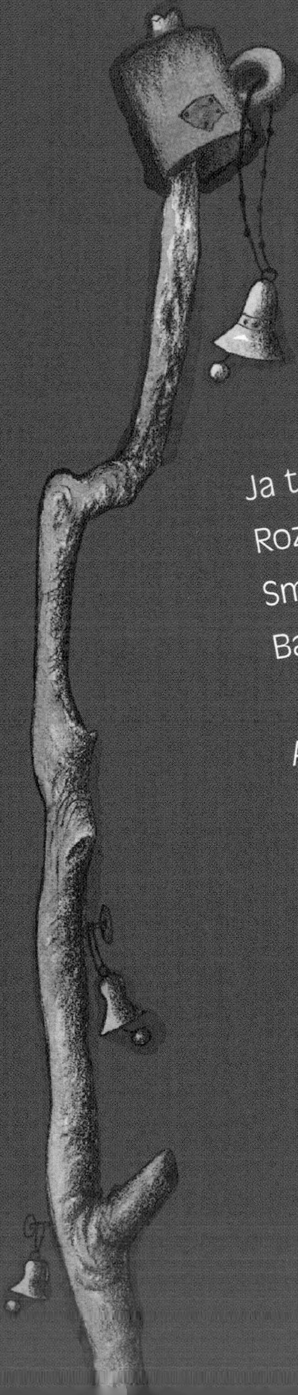

Ja też kiedyś to robiłam,
Rozmaite zioła piłam,
Smarowałam się kremami,
Balsamami i maściami...

Ale czas ma swoje prawa,
W końcu stałam się kulawa
I wyglądam jak ropucha,
Na wpół ślepa, na wpół głucha...

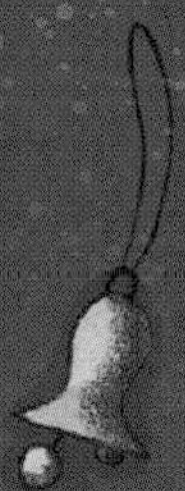

Z tego względu w okolicy
Mam opinię czarownicy,
A niektórzy nawet plotą,
Że na miotle mknę z ochotą.

zbieram
na dzwonki

Kaprysia

Lustereczko, powiedz przecie,
Kto najmilszy jest na świecie?...
Lustereczko, tylko nie kłam,
Wiesz, jak się ostatnio wściekłam...

Lustereczko, nie kpij ze mnie,
Bo znów będzie nieprzyjemnie,
Coś miłego w końcu powiedz,
Bo założę ci pokrowiec!

No nie! Tego już za wiele.
Czy tak robią przyjaciele?
Nie to nie! Ja cię nauczę!
Wiesz, jak łatwo szkło się tłucze?...

Cały czas mi się sprzeciwiasz,
Piękny uśmiech mi wykrzywiasz,
Robisz ze mnie grymaśnicę,
Wiedźmę i koczkodanicę!

Twoja szczerość mnie obraża,
Upokarza i przeraża,
Przyznaj się, że to przesada:
Nikt się z samych wad nie składa...

Z tego względu w okolicy
Mam opinię czarownicy,
A niektórzy nawet plotą,
Że na miotle mknę z ochotą.

Szpilaga

Jestem cięta, jestem ostra,
Dookoła sieję postrach,
Szarogęszę się, kokoszę
I nad innych się wynoszę.

Mam burzliwy temperament,
Gdzie się zjawię, robię zamęt,
Hałasuję, pokrzykuję
I wszystkimi dyryguję.

Gdy ktoś stanie mi na drodze,
Pożałuje tego srodze,
Bo z największą przyjemnością
Bez powodu kipię złością.

Wiem, że złość piękności szkodzi,
Ale mnie to nie obchodzi
I nic na to nie poradzę,
Że najbardziej kocham władzę.

Nade wszystko lubię rządzić,
Rozkazywać, grozić, sądzić...
Nic tak mi się nie podoba!
Czy to szczęście, czy choroba?...

Z tego względu w okolicy
Mam opinię czarownicy,
A niektórzy nawet plotą,
Że na miotle mknę z ochotą.

Zawziętucha

Innym wiedźmom się powodzi,
Mnie nic nigdy nie wychodzi
I zagryzam ciągle wargi,
Żeby nikt nie słyszał skargi.

Innym wszystko się udaje,
Obleciały różne kraje,
A ja w kółko wciąż się kręcę
I urabiam sobie ręce.

Śmieją się, że moje czary
Nie chcą słuchać ślamazary,
A mój urok osobisty
Nic nie wskóra bez dentysty.

Nigdy rąk nie załamuję,
Bo mnie śmiech mobilizuje
I bez przerwy mam nadzieję,
Że się kiedyś z nich zaśmieję!

Wierzę cały czas niezłomnie,
Że się los uśmiechnie do mnie
I po ciężkich próbach wielu
Koniec końców dopnę celu!

Z tego względu w okolicy
Mam opinię czarownicy,
A niektórzy nawet plotą,
Że na miotle mknę z ochotą.

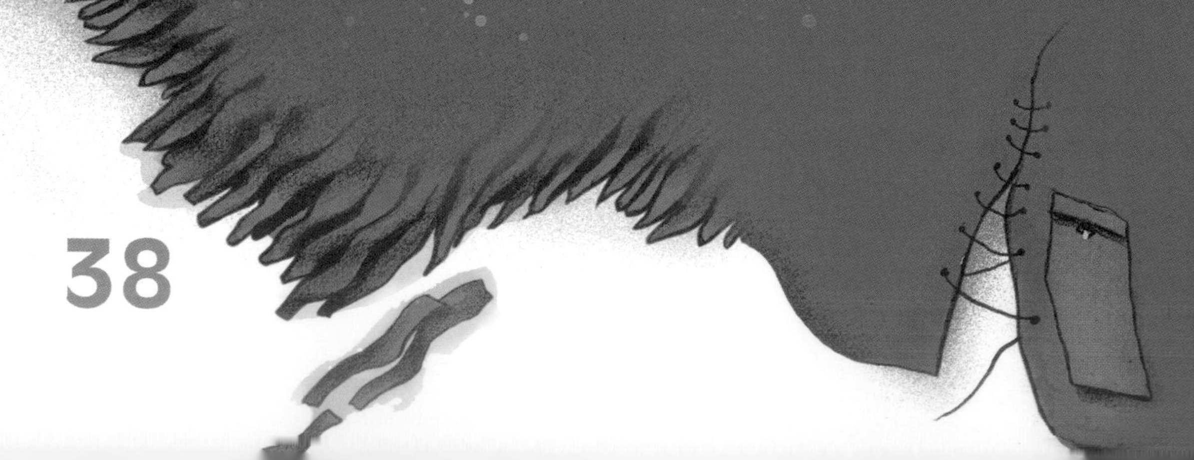